KB171733

최후의 변론

최후의 변론

발　행 | 2024년 01월 15일
저　자 | 말랑(MalRang)
펴낸이 | 한건희
펴낸곳 | 주식회사 부크크
출판사등록 | 2014.07.15.(제2014-16호)
주　소 | 서울특별시 금천구 가산디지털1로 119 SK트윈타워 A동 305호
전　화 | 1670-8316
이메일 | info@bookk.co.kr

ISBN | 979-11-410-6676-5

www.bookk.co.kr

최후의 변론

말랑MalRang 지음

CONTENT

이 글은 2023년 8월 29일부터 9월 7일까지 작성된 회고록이자 말랑 개인의 지난 일에 대한 왜곡의 여지를 제거하기 위해 작성된 스스로의 변론을 재구성한 기록물이다.

말랑은 2023년 1월 중순부터 가족과 친인척, 친구와의 모든 연락을 차단하여 다수의 사람들에게 감정적 동요를 일으켰고 이에 대한 명확한 입장을 밝히지 않은 사실이 있다.

말랑은 이 시기의 행적에 의한 오해와 억측으로 불미스러운 사건이 반복되지 않기를 원하며 이 문건이 자신이 걸어온 길에 대한 존엄을 지키고, 밝혀지지 않은 사실에 의한 특수한 이익을 편취하고자 하는 자들에 대하여 방어할 수 있는 수단으로 활용되기를 원한다.

말랑은 이하 서술되는 모든 사실에 대한 증거력을 갖추기 위한 기본적인 절차를 진행할 예정이며, 스스로의 존엄과 명예를 걸고 거짓에 기반한 각색을 하지 않았음을 맹세한다.

말랑은 오랜시간 자기 자신을 속이며 살아 왔다. 내면에서 올라오는 자신의 목소리를 무시했고 타인의 시선에 자신을 끼워맞추며 그들에게 좋은 모습들만을 보여주기 위해 인생의 대부분을 소비했다.

사회생활을 시작한 말랑은 이러한 선택으로 인한 후폭풍이 어떤 식으로 자신에게 돌아오고 있는지 인지하게 되었고, 이를 바로 잡기 위해 항해를 시작했다.
이 책은 말랑의 이러한 항해 과정을 세밀하게 묘사한 책이다.

이 책을 작성한 후에도 말랑의 항해는 계속 진행 중이다. 아직도 말랑은 타인의 시선에서 자유롭지 못하고 자신의 내면에서 올라오는 목소리를 제대로 인지하지 못하고 있다.

말랑은 이 책을 통해 자신이 어떤 항해를 거쳤는지 스스로 정리해보고자 하였다.
이 책이 진정한 말랑을 발견하기 위한 발판이 되었으면 한다.

제1화 조각된 자아로서의 나

배는 항구에 있을 때 가장 안전하지만,
그것이 배의 존재의 이유는 아니다.

자식을 위한 부모의 헌신에 의문을 가져본 적이 있는가?

어느순간 대부분의 삶의 영역에서 발견된 알 수 없는 이 감정은 나를 끊임없이 괴롭게 만들었다.

이 감정을 온전히 자각한 첫 시점은 학원을 가는 차 안에서 였던 것 같다.

"말랑아. 엄마가 차로 편하게 학원 태워다 주니까 좋지? 그러니까 오늘 가서 공부 열심히 하면 엄마 운전하느라 고생한거 보답해주는거야. 알겠지?"

"나 혼자서도 다녀올 수 있는데...."

"아니 너는 엄마가 데려다 준다는데 왜 그러니? 동생은 맨날 엄마한테 데려다 달라고 하는데"

"응..."

"엄마가 우리 말랑이 더 잘해줘야 하는데 이것밖에 못해서 미안해."

"아니에요."

"엄마가 앞으로도 더 잘해주도록 노력할게. 그러니까 말랑이 너도 엄마 아빠한테 더 잘하도록 노력해줘야돼. 알겠지?"

시작은 나의 옷이나 가방 등을 손수 챙겨주려는 것부터였다.

"너는 왜 맨날 같은 옷만 입고 다니려고 그러니? 엄마가 오늘 옷 좀 사왔으니까 이거 입고 나가"

"내가 사달라는 말도 안했는데... 왜 사왔어요? 나 입기 싫어. 이런 스타일 안좋아한단 말이야."

"엄마가 패션감각이 남다른건 알지? 이 옷 집으니까 가게주인이 "여사님 20대 사이에서 유행하는 스타일이라 딱 하나남은 제품이에요. 여사님 안목이 대단하시네요"하면서 엄마를 추켜세워주더라"

"나 이런 스타일 입는거 불편해. 내가 이런 옷 필요하다고 말하지도 않았잖아요. 나 입기 싫어요"

"엄마가 자식인 너를 생각해서 사온 거잖아. 그러면 감사할 줄 알아야지. 왜 툴툴거려?"

그 다음은 대학생이 된 나의 스타일에 '충고'를 해주는 것으로 진화했다.

"말랑아 그 옷은 어제도 입은 거 아니야? 오늘은 다른 옷 입고 가."

"말랑아 엄마가 사준 가방 여러개 있잖아. 근데 왜 계속 그 가방만 들고 다녀? 좀 바꿔서 들어. 남들이 너 매일 같은 가방만 들고 다닌다고 속으로 흉봐."

.

이러한 부모의 모습을 자녀를 위한 헌신으로만 포장할 수 있을까? 나는 언제부터인가 혼자서는 아무것도 못하는 바보가 되어버린 기분이었다. 이런 자녀로 인해 자신의 인생마저 허비하고 자식의 인생에 자신의 인생을 담보한 어머니만 세상에 존재하는 것 같았다.

이런 답답함을 토로할 수 있는 상대가 나에게 없었다. 이 답답함이 어디에서 기인된 것인지 알 방법도 없었다.

나는 이기적이게도 이런 답답함을 스스로 삭히는 것이 최선이라고 생각했다. 아무것도 할 수 없는 나는 이 집에서 쫓겨나지 않아야 살 수 있었고, 살려면 말 잘듣는 착한 아이가 되어야 했으니까....

"말랑이는 딱히 해달라고 하는 것도 없어서 키우기 수월한 거 같아요"

이게 내가 부여받은 정체성이었고 이 정체성을 유지해야 쓸모 있는 인간이라고 스스로 생각했다.

제2화 무너지는 나

내가 사회생활을 하게 된다면, 아무것도 스스로 해내지 못한 바보같은 자식으로 인해 자신의 인생을 살지 못한 부모님의 씁쓸한 인생이 조금이나마 나아지지 않을까?

애석하게도 이러한 막연한 기대는 너무나 쉽게 박살나고야 말았다.

”또 운동화 신고 출근하는 거야?“

"응. 외근이 많아서 구두 신고 나가도 어차피 운동화 신으면서 업무 봐요. 다들 그래서 운동화 신고 출근하시는 분위기야."

"그래도 사회생활 시작한지 얼마 안된 신입인데.... 아무리 외근이 많다고 해도 운동화 신고 출근하는건 아니야. 오늘은 구두 신고 출근해"

"어차피 회사 들어가자마자 운동화로 갈아신어야 한다니까요. 나 성인이야. 왜 자꾸 출근복장에 이래저래 간섭해요? 이제 좀 그만해. 다녀오겠습니다"

"말랑아. 다 너 생각해서 그러는 건데 너는 애가 왜 그래?"

"말랑아 퇴근하고 오늘 또 스터디카페 갔어?"

“네 업무 공부할 게 좀 있어서.. 왜요?”

“스터디카페에서 왜 이렇게 오래 있어?
퇴근하고 집에서 잘 쉬어야 내일 출근할때
안피곤해. 빨리 집에 들어와”

“나 아직 해야 할 공부 남았어. 좀 더 하고
들어갈게요”

“얼른 들어와. 너 집에 안들어오니까 엄마가
너 기다리느라 잠 못자고 계속 기다리잖아”

“그냥 먼저 주무시면 되잖아요. 나 할거
남아서 더 공부하고 들어가고 싶단 말이야”

“어떻게 자식이 집에 안들어보는데 부모가
먼저 잠을 잘 수 있어? 너도 부모가 돼보면
절대 그렇게 못할거다. 얼른 들어와”

"말랑아 아빠다. 니네 엄마 너 집에 들어오는거 보고 잠잔다고 눈 빠지게 집에서 너 기다린다. 급한거 아니면 대충 정리하고 얼른 들어와"

전화를 끊고 나서 말랑은 푹 한숨을 쉰다.

“주말인데 또 스터디카페 가는거야?”

“응. 저번에 말한 업무공부 아직 다 못해서 마저 하려고요”

”주말인데 혼자 그렇게 스터디카페 가는게 아니라 같이 외식하러 나가자, 같이 영화보러 가자.... 너가 이렇게 말 좀 해주면 안돼?”

”너는 딸이잖아. 주중에는 일하느라고 엄마랑 같이 시간 못보내는거 알겠는데.. 그럼 주말에는 엄마랑 같이 시간 좀 많이 보내고 그래라. 아빠가 부탁 좀 하자“

”나 노는거 아니잖아요. 공부하러 스터디카페 가는거라고.... 그런데 왜 그렇게 못마땅해 하는건데?“

”그래 업무공부도 중요하지. 그런데 가족간의 화합도 중요한 거 아니야? 넌 왜 항상 너가 하고 싶은 것만 하려고 해?“

‘내가 늘 하고 싶은 것만 하려고 했다고?’

말랑은 또 푹 한숨을 쉰다.

”똑똑똑.. 말랑아 잠깐 나와봐“

”음? 스터디카페에 무슨 일로 왔어요?“

”너 점심 먹으면서 공부하라고 먹을거 싸왔어. 너한테 전화했는데 전화 안받던데? 그래서 아빠랑 같이 스터디카페로 올라왔어“

”그냥 근처 식당에서 점심 사먹어도 되는데 굳이 왜 싸왔어요... 내가 싸와달라고 말하지도 않았는데....“

”야 말랑. 너처럼 취직했는데 부모가 스터디카페까지 와서 이렇게 밥 챙겨주는 사람은 우리밖에 없을거다. 니네 엄마가 너한테 이렇게 지극정성이에요.“

”당신은 참.. 자식이니까 내가 우리 말랑이 챙기는게 당연한거지. 얘가 여기서 노는 것도 아니고 공부한다잖아“

”똑똑똑.. 말랑 사원님 업무 언제 끝나세요?“

”음? 엄마 헙.. 잠깐만요.... 나가서
이야기해요.“

”회사에 무슨 일로 찾아왔어요?“

“엄마가 회사 앞에 왔으니까 내려오라고 카톡
보냈는데 너가 카톡을 안읽잖아! 그래서 너
일하는 곳으로 올라왔지”

“업무 보느라 카톡 못읽었어요. 그래도
이렇게 회사 안으로 말도 없이 올라오시면
어떻게요? 다른 사원들이 보면 어쩌려고?”

“뭐 어때? 여기 공공업무 보는 곳이라
엄마가 오지 말아야 할 곳에 온 것도

아니잖아. 그리고 다들 일하느라 바빠서 누가 온지도 모르는거 같더만…"

"내가 회사에 찾아오지 말라고 했잖아요. 그런데 내말 무시하고 회사에 온거에요? 예? 제발 이러지 마요.."

"너 업무보다가 중간에 외근나간다며.. 엄마가 운전해서 업무보는 곳까지 데려다주려고 했지. 너 생각해서 그러는 건데 왜 그래?"

"그냥 버스 타고 외근보러 나간다고 했잖아요. 왜 또 내말 무시하고 마음대로 그러는 건데?"

"어머 얘좀 봐. 다 너 생각해서 그러는 건데 엄마 무안하게 그렇게 말해야 겠니?"

사회생활을 시작한 나는 여전히 '그저 한없이 부족한 자식'이었고 부모는 그런 자식을 가르치고 교정해주기 위해 남은 인생을 허비해야 하는 비극적 존재였다.

자취생활을 하게 된다면, 부족한 자녀를 가르쳐야 하는 부모의 의무는 사라지지 않을까?

애석하게도 이러한 막연한 기대는 너무나 쉽게 박살나고야 말았다.

"말랑아. 오늘도 일하느라 고생했다. 엄마가 너 좋아하는 반찬 몇 개 했어.
샤인머스켓이랑 같이 아빠가 자취방 앞에 방금 두고 오셨대. 맛있게 먹으라고 카톡한다"

"샤인머스켓도 내가 마트에서 사먹으면 돼. 나 요새 내가 직접 요리해서 밥먹으니까 반찬 괜찮다고 했잖아요. 왜 또 전셋집 앞에 두고가는 건데?"

"얘는? 너가 뭐 요리는 할 줄 아니? 엄마가 요리해서 가져다주면 편하게 밥먹을 수 있으니까 좋잖아"

"나 요리 자주 해서 먹어요. 스크램블도 만들고 빵도 만들어서 먹고 그러는데..."

"여튼 엄마가 신경써서 만들었으니까 버리지 말고 꼭 먹어봐"

경제적으로 독립하여 자취생활을 시작한 나는 여전히 부모의 시선에서는 혼자서 아무것도 못하는 어리석은 아이였다.

"말랑아. 어제 엄마가 해다 준 반찬
먹어봤어? 맛은 어때?"

"아 아직 안먹어봐서요."

"너는 엄마가 고생해서 만들어줬으면 바로
반찬도 먹어보고 그래야지. 먹어보고 난
다음에는 엄마 맛있어요라고 먼저 말도 좀
하고... 꼭 엄마가 맛있었냐고 물어봐야
그제서야 대답하더라. 그리고 엄마랑 아빠가
카톡으로 연락했으면 답장 좀 해줘. 그게
자식으로써의 도리 아니겠니?"

"일하고 피곤해서 집에 바로와서 자느라 답장
못했어요. 그리고 나 어린애 아니야.
혼자서도 잘 지내니까 별일 아닌 이상
연락하고 그럴 필요 없어요."

"말랑아. 니네 엄마가 너 자취생활 시작한 다음부터는 사람이 정신적으로 많이 힘든 것 같더라. 엄마한테 매일 하루에 한번씩 전화 좀 해서 점심은 잘 드셨나, 안부 인사 좀 해라. 아빠가 부탁 좀 할게."

"아빠. 미안한데 나 그렇게 하루에 한번씩 전화하는거 못해요."

"야 말랑. 너네 엄마 몸이 아픈데도 너 줄 반찬이며 옷이며 이것저것 챙기느라고 저렇게 고생하는데... 너는 엄마한테 그 정도도 자식으로써 못한다는게 말이 돼?
부모한테 잘하지도 못하는 놈이 사회생활 하면서 남들한테만 잘하면 뭐한데? 너 일단 먼저 부모한테 잘하는 인간이 돼라. 알겠니?"

"........"

"부모한테 잘해야 너한테도 좋은 일이 생기는 거야. 너 부모한테 잘못하면 나중에 천벌로 돌려받는다."

경제적으로 독립했고 자취생활도 시작했지만, 나는 여전히 부모의 시선에서는 도덕적으로 성장하지 못한 지진아에 불과했다.

나를 가르치기 위한 부모의 부담은 멀어진 거리만큼 증가했을 뿐이었다.

누구도 설득할 수 없을 것 같은 내밀한 감정이 자신을 삼키고 있다.

제3화 방황하는 나

"말랑씨는 이제 취직도 했고, 앞으로 인생에 있어서 목표가 뭐에요?"

남자친구의 말을 듣고 숨이 턱 막힌다.
학생때는 좋은 대학에 입학. 대학생때는 좋은 곳에 취직. 이제 내 목표는 뭐지?

"지금 말랑씨의 삶을 주도하고 있는 건 뭐에요?"

머리가 복잡해진다. 지금 나는 무엇을 위해 살고 있는가? 앞으로는 무엇을 위해 살 것인가?

"말랑아. 엄마가 새해라서 떡국이랑 밥이랑 반찬 좀 했어. 아빠 통해서 자취방에 가져다 둘테니 맛있게 먹어"

"음식 직접 해먹는게 좋으니까 음식 보내지 말라고 몇 번이나 말씀 드려요. 저도 이제 진짜 징글징글 하네요. 저번에 옷도 제가 직접 사 입는게 좋으니까 보내지 말라고 말씀드렸는데 또 보내시고."

"말랑아 왜 그래? 우린 가족이잖아. 서로 챙겨주는게 당연한거야. 너도 옷이랑 음식이랑 이렇게 챙겨주면 편하고 좋지 않아?
넌 그냥 '맛있게 잘 먹겠습니다.' '옷 잘 입겠습니다'라고 하면 되는데 그게 그렇게 어려워?"

내가 그동안 해왔던 말과 행동은 다
무엇이었을까? 그들은 내가 말을 할 수도
없는 존재로 남아주길 원하는 것 같았다.

"음식 보내지마. 안먹을 거니까.
내가 음식 보내지 말라고 몇번이나 말했지?
그런데 왜 자꾸 보내? 왜 자꾸 보내냐고
불편하게?"

"말랑아 왜 그래? 너 무슨 일 있어?
안되겠다. 엄마가 아빠랑 지금 전셋집으로
갈게."

"나 불편하다고요! 나 불편해! 우리 집에
오지 마요. 찾아오지 마요. 내 집에 와도 문
안열어줄거야."

전화를 툭 끊었다. 갑자기 예전에 들었던
말이 생각난다.

"말랑씨의 삶을 주도하고 있는 건 뭐에요?"

그때는 머리가 복잡해져서 대답하지 못했지만
지금은 머리가 명쾌해졌다.

"살고 싶다."

"말랑아 문 좀 열어봐. 엄마 아빠야."

밖이 시끄럽다. 전셋집에 오지 말라고 했는데 기어코 또 집에 찾아왔다. 그랬다.

그들은 내가 하는 말을 들으려고 한 적이 없었다.

"말랑아 문 좀 열어봐. 엄마 아빠라니까. 문 좀 열어."

"야 말랑. 너 아빠가 좋은말로 할때 문 열어. 너 이새끼 엄마아빠가 챙겨주고 하면 고마운 줄 알아야지. 너 배가 잔뜩 불렀어."

'쾅! 쾅!'

문을 발로 차는 소리가 이어진다.

"말랑이 너 진짜 이런 식으로 할거야? 문 안열어? 이 문 부셔버리기 전에 빨리 열어!"

부모님을 위해 아무것도 못하는 바보가 되어야 했던 과거는 내가 원했던 게 아니었다.

'이제 이렇게 지내는건 지쳤어.'

"경찰서죠? 지금 제 집에 어떤 분들이 오셔서 문 열라고 소리지르고, 발로 문도 차고 있어요. 이분들 좀 말려주세요."

제4화 민낯

1월 1일 새해 첫날. 신고를 받은 경찰이 전셋집에 왔다.

말랑은 경찰을 통해 대화로 이야기를 하자며 집 근처 '더치이야기' 카페에서 얼굴을 보자는 의사를 전한다.

사람들이 많은 곳에서는 문앞에서 보인 이유모를 분노가 제어될 것이라는 막연한 기대가 있었다.

카페 입구에 들어서자마자 엄마의 얼굴이 보였다.

"이 미친년아. 이 마스크 꼴보기 싫다"

엄마는 내 마스크를 내리더니 나에게 뺨을
한대 갈긴다. 나는 어안이 벙벙해서 잠시
정신이 멍해진다.

'뭐지?'

카페 2층으로 올라가니, 아빠와 남동생까지
카페에 와있다.

"넌 엄마아빠가 자식 집에 찾아왔는데 경찰에
신고를 하는게 말이 된다고 생각하냐? 어?"

"말랑이 너. 엄마가 몸이 안좋다고 몇개월
전부터 너한테 이야기 했다. 엄마는 몸이
이렇게 안좋은데도 혼자 자취하는 딸 먹여야
하니까 땀 뻘뻘 흘리면서 요리해서 니
전셋집에 가져다줬다. 엄마가 한 요리?

아빠가 퇴근하고 니네 집앞까지 찾아가서 두고 오고 그랬어. 이렇게 너한테 헌신했는데... 너는 감사한다는 말 한마디도 안하고... 너한테 우리가 받는게 고작 이런 취급이냐?"

"내가 원하지도 않은 음식을 갖다주고, 내가 필요하지도 않은 옷을 갖다주는데 그런 감사의 말이 나오겠어요? 음식 괜찮다고 보내주지 말라고 했고, 옷도 내가 사서 입으니 괜찮다고 했잖아요. 왜 자꾸 음식이며 옷이며 보내는 거에요? 이제 제발 그만 좀 하세요"

"너 엄마 아빠가 그렇게 카톡으로 연락을 해도 대답도 없고... 우리가 너 이제까지 이렇게 행동하라고 키웠냐? 어? 너가 하도 이상하길래 너네집 보니까 한 남자가 왔다갔다 하던데....
너 남자친구랑 같이 있는데 우리가 하는
연락이 방해된다고 생각해서 내가 너한테
하는 연락 씹었지?"

"그런거 아니에요. 왜 자꾸 하루에 한번씩
엄마한테 연락하라고 강요 하는건데? 나
못한다고 했잖아요. 그리고 지금 내가 사는
전셋집 몰래 염탐했다는 거에요? 누가
들어가고 나가는지 그런거 다 관찰했다는
거잖아..."

"부모로써 자식한테 그 정도는 할 수
있는거야. 자취생활 시작하면서 아주 얘가
이상해졌어요. 니 친구들 다 부모한테
잘하는데 말랑이 너는 도대체 왜 그러는
거냐?
니 친구 인혜? 엄마아빠 해외여행 보내주고,
니 친구 혜경이? 부모님한테 다 잘해.

미은이도 마찬가지로 잘하고... 근데 왜 너만 그러냐? 너가 그러고도 인간이냐?
내가 뜨거운 물 확 니 얼굴에 부어버리고 싶어. 그래도 우리 속이 안풀려. 내가 너 지금이라도 파양할 수 있으면 파양하고 싶은 마음이 여기 끝까지 올라와!!"

도저히 진정될 기미가 보이지 않는다. 내가 그들의 행동에 대해 불편하다고 표현했지만, 그들은 내가 왜 이렇게 행동하는지 이해하려고 하지 않는다.

그저 자신들의 감정을 배설하는 용도로 나를 소모하고 있는 것 같았다.

"말랑이 너 이럴꺼면 전셋집 정리하고 엄마아빠 집으로 다시 들어와"

"싫어요. 전셋집은 제가 대출받고 사는

제집이에요. 무슨 권리로 제 집 정리를
하라마라 간섭하는 거에요?"

"뭐라고 무슨권리로? 야 너 이제까지 니네
엄마가 금이야 옥이야 키워준거는 생각
안하냐? 엄마아빠가 얼마나 고생하면서 너
이제까지 키웠는데."

"말랑이 너 말이야. 너 엄마아빠를 완전히
잘못봤어. 너 우리가 우습지?

내가 너네 회사에 연락해서 말랑사원이
부모가 연락해도 연락도 안받고 남자랑
동거하면서 사생활이 아주 문란하다고
민원넣을꺼야.
너 그러면 회사생활 제대로 할 수 있을거
같냐?"

"............."

"너는 내가 이렇게 말해도 '엄마 미안해요, 죄송해요'라고 절대 말 안하지? 잘못 했냐 안했냐 말랑이? 잘못 했어? 안했어?"

"……………"

나는 그저 나에게 대답을 강요하는 엄마의 얼굴을 가만히 처다볼 뿐이다.

한때 내가 남동생이라고 불렀던 남자아이는 옆에서 아 대답좀 하라고 답답하네... 라며 나에게 싸늘한 시선을 보낸다.

그들은 남자친구에 대한 이야기도 꺼낸다.

"말랑이 너 연애에 관심 없다며? 평생 혼자 살거라며? 결혼도 안할거라며? 사람이 어떻게 이렇게 180도 바뀌냐? 니네 남자친구 뭣이 그렇게 좋든?"

"대화가 잘 통해요. 외모도 마음에 들고요"

"대화가 잘 통해? 나 참... 어이가 없어서...."

아빠는 실소를 터트리며 무언가 중얼거린다. 무슨 의미였을까?

남자친구와 대화가 잘 통한다는 말이 어이가 없다는 소리였을까?

만나본 적이 없는 남자친구가 대화가 잘 통하지 않을 사람이란 걸 미리 알고 있었다는 무언의 암시였을까?

남자친구가 카페 안으로 들어온다. 그들은
이제 남자친구에게 칼날을 겨누기 시작했다.

이름, 나이, 학벌, 직업을 묻더니 대뜸
주민등록증을 내놓으라고 한다.

"왜 주민등록증을 내놓으라고 해요? 그만 좀
하세요"

"야 말랑. 넌 가만히 있어. 뭐 캥기는거
있습니까? 왜 주민등록증 하나 못보여줘요?"

남자친구가 주민등록증을 내밀자 그들은
주민등록증을 핸드폰으로 찍는다.

"당신은 준현이한테 이 사진 보내서 신원조회
해보라고 해. 범죄 저지른 사실 없는지
알아보라고 하고"

"알았어 여보"

오늘 처음 대면한 남자친구를 다짜고짜 범죄자 취급하고 있었다. 나는 아직도 그 당시의 상황을 온전히 납득하고 있지 않다.

"말랑이 남친이라고 했죠? 제가 한번 물어볼게요. 말랑이 이년이 부모가 전화오고, 카톡오는 거에 대답도 안하고 이러는 거 알고 있었습니까? 예?"

"..........."

"부모가 전화하고 카톡하는데 연락 한번 안해주는 년이 말랑입니다. 음식을 보내주면 음식 잘 받았다 맛있게 먹겠다, 옷을 보내주면 옷 잘 입겠다 이야기 해주는게 인간으로서의 도리 아니에요? 말랑이 이런 행동 잘못된 행동 한거에요? 아니에요?

한거에요? 아니에요? 대답해봐요!!"

"........."

"이런 인간 말종 버러지 같은 년인데 당신은 이런 년이 좋습니까?"

"내가 말랑이 먹으라고 보내준 음식 둘이 같이 먹은적 있죠? 둘이 먹으면서 무슨 이야기 했어요? 내가 몸이 안좋은데도 자식 먹인다고 땀 뻘뻘 흘려가면서 만든거에요. 그런데 그 음식 같이 먹으면서 히히 웃으면서 같이 먹었어요? 말랑이보다 나이가 많다면서 나이 더 처먹었으면 당신이 말랑이한테 부모님한테 감사연락이라도 하라고 옆에서 말해야 하는거 아니에요? 그래요 안그래요? 그래요 안그래요? 대답해봐요!!"

"..........."

"야 너 이새끼. 말랑이 엄마가 대답하라고 하잖아. 빨리 대답 안해? 어른이 물어보면 묻는 말에 대답해야지. 너 집에서 부모님이 그러라고 너 키웠냐?"

"형님. 아 묻는 말에 대답 좀 하라고요. 진짜 답답하네..."

".............."

남자친구는 1시간 가까이 반복되는 동일한 질문에 이따끔 한마디씩 짧게 대답할 뿐이었다.

"여자친구의 가족과 관련된 이야기는 먼저 자세히 말해주지 않는 한 자세히 묻지 않았었습니다."

의아한 일이다. 부모님은 오늘 내 남자친구를 처음 만났고 단순히 연애상대임을 밝혔을 뿐인데, 지금 이 순간만큼은 범죄자 출신의 밑바닥 인생인 산 사내가 결혼을 승낙받기 위한 시험대에 올라선 듯한 느낌이었다.

"말랑이 남자친구는 본인 아버지랑 어머니 핸드폰 번호 주고 가세요. 핸드폰 번호 못줘요? 왜 못줘요? 내 핸드폰에 본인 부모님 번호 찍으라고!!"

남자친구가 이에 응하지 않자 엄마라는 여자는 머그컵에 있는 커피를 얼굴에 끼얹고 빈 컵으로 남자친구의 정수리를 내려 친다.

유리 깨지는 소리와 함께 카페에 있던 다른 손님들의 시선이 집중된다.

의아한 일이다. 사람들의 이목이 점점

강화되면서 그들의 행동 또한 더 과격해지고 있었다.

아빠라는 남자는 남자친구에게 무릎을 꿇으라고 하더니 발차기를 한다.

동생은 남자친구의 목을 조른다. 이 상황에서 나는 그만 좀 하라고 소리를 지른다.
(아무도 듣지 않는다)

아이러니 하지만, 내 남자친구는 요청한 적이 없는 결혼승낙을 철저하게 거부당한 것도 모자라 당장에라도 없어져야 할 죄인이 되어 있었다.

카페 안에서 계속되는 소란에 결국 카페 주인분이 오셔서 말씀하신다.

"손님. 여기서 큰 소리 내시면 다른 손님들이 불편해하셔요. 아까부터 계속 다른 손님들이 컴플레인 하셨습니다. 이제 남은 이야기는 카페 밖으로 나가서 하세요."

"아이고 사장님, 죄송합니다. 저희 이제 나갈게요. 카페 공간도 더럽게 하고 아까 머그컵도 깼는데... 이거 얼마 안되지만 보상차원에서 현금이라도 조금 드릴까해요"

"돈은 괜찮습니다. 다른 손님들의 컴플레인 때문에 빨리 카페 밖으로 나가주시면 좋을거 같아요."

"아니에요 사장님. 아휴 제가 원래 이런사람이 아닌데 미친 딸년 때문에 이런

곳에서 이런 추태를 보였네요. 꼭
받아주셨으면 해요. 정말 죄송합니다."

연신 사과를 하던 엄마는 예의바르고
교양있는 여사님으로 변모해 있었다.

"이 씨발년아 빨리 내려가!!!!"

그렇게 카페 2층에서 1층으로 내려가는데...

동생이라는 남자새끼의 바지 주머니에 이상한
물체가 보인다. 은색빛깔의 묵직한
몽키스패너다.

카페 밖으로 나가서도 폭행은 계속되었다.

머리채를 잡아뜯고, 얼굴을 할퀴고, 주먹질과 뺨을 때리는 행동이 반복된다. 사람들이 점점 모여들었으나 아무도 제지하려 하지 않는다.

남자친구의 오른쪽 뺨에 긴 상처를 남기고 나서야 잦아든 폭행은 되려 소란을 통해 모여든 사람들에게 보여주기 위한 무언가의 마지막을 위해 변주를 시작하는 과정에 불과한 것 같았다.

엄마라는 여자는 갑자기 핸드폰을 꺼내들었다.

"이 두 년놈들의 면상을 내가 찍어놔야지"

"뭐하시는 거에요? 상대방의 동의 없이 사진찍고 하는거 잘못된 거에요"

"놔 이 미친년아. 내가 이새끼 가만안둬. 너 딱걸렸어. 미친새끼. 씨발새끼. 개새끼"

끼얹어진 커피와 폭행으로 인한 상처, 저항할 생각이 없는 상대방에게 가해진 위협을 직접 기록하고자 했던 엄마의 광기는 구경꾼들의 카타르시스를 자극하기 위해서 존재했던 것일까? 딸을 범죄자로부터 구하고자 하는 모성애의 일환이었을까?

폭행이 이루어지는 내내 구경만 하던 사람들은 핸드폰 카메라로 사진을 찍어대는 엄마의 행동 또한 제지하지 않는다.

그저 구경할 거리가 생긴 하루를 만끽하는 관객으로 최선을 다하는 느낌이었다.

카페 앞 길거리에서 아빠라는 남자는 아까 남자아이의 주머니에 있던 몽키스페너를 들고 휘두르며 나와 남자친구를 위협한다.

"말랑이 남자친구 너 이새끼!! 너 여기 cctv없는 곳으로 이리로 와 얼른!"

사람들이 몽키스패너를 휘두르는 남자를 보고 깜짝 놀라며 웅성거린다.

구경꾼들의 동요를 일으킨 아버지의 광기는 관객에게 카타르시스를 주기 위함이었을까? 범죄자로부터 딸을 구해내기 위한 부성애의 일환이었을까?

나는 남자를 피해 편의점이 있는 반대방향으로 소리를 지르며 피한다. 몸을 피하는 과정에서 나는 경찰서에 전화로 신고를 했다.

"안녕하세요. 여기 은행동 cu편의점 앞인데요. 어떤 남자분이 큰 몽키스패너를 들고 저랑 남자친구를 위협해요. 빨리 오셔서 이 남자분 좀 진정시켜 주세요."

광기에 휩싸였던 그 밤을 나는 멈추고 싶었던게 맞을까?

다만 분명한 것은 경찰서에 재차 신고한 이후에서야 긴 시간 지속되었던 폭풍이 점차 사그러들었다는 사실이다.

제5화 편집과 분열의 탄생

내가 혼자 할 수 있는 건 여기까지였다.
주변에 도움을 구할 여지를 찾아봐야 했다.

처음은 내가 다니던 직장에 내 사정을
설명하는 것이었다.

"부모님과의 관계악화로, 부모님과 같은
지역에서 거주하며 근무하기가 힘듭니다.
혹시 다른 지역으로의 전출이 가능할까요?"

"아직 정기인사시즌이 아니기 때문에
현재지역 임원분과 타 지역 임원께서 상호
협의가 있어야 할거 같습니다."

타 지역으로 빠른 이동은 힘드니, 과장님께
질병휴직계획이 있음을 밝힌다.

"과장님 드릴말씀이 있어요. 제가 요새
정신적으로 큰 스트레스를 받아서 회사에
출근해서 업무를 보기가 어려운 상황입니다."

"말랑 사원 무슨 일 있어?"

"과장님 저번에 제가 사무실 행정전화
받으면서 '제가 선생님 전화만 계속 받고
있을 수는 없어서요 죄송합니다' 하고 전화
끊었던 적 있는데 기억하시나요?"

"응. 저번에 말랑씨가 그 전화 하는거 나도

옆에서 들었지. 내가 그때 말랑 사원한테 무슨 일 있으면 혼자 끙끙 앓지 말고 나나 주변에 도움을 청하라고 말도 했었고...."

"사실 그때 저한테 온 전화 저희 엄마가 연락해오신 거였거든요"

"아. 전화하신 분이 말랑씨 어머님이셨어?"

"네. 제가 부모님이랑 관계가 악화되면서 부모님께 오는 연락을 받지 않으니까 사무실 행정전화로 전화를 하신 거였어요"

"부모님이랑 관계가 많이 안좋아? 왜? 무슨 일 있었는데?"

"부모님은 제가 자취생활을 하니까 반찬이나 옷 같은 것을 계속 가져다주셨거든요. 저는 제가 요리해서 밥 먹고 월급 받은 것으로

옷도 제가 사입으니 괜찮다고 말씀드렸는데
부모님이 계속 그런 행동을 하시는 거
때문에 다툼이 있었어요."

"아 그래? 음 그런데 그건... 부모님이니까
자취하는 딸 생각해서 그러신거 아닐까?
내가 말랑씨한테도 한번 이야기한 적
있는데... 나도 우리 어머님이 좀 자식사랑이
유별나시긴 하셔. 우리 아버님이 나 어렸을
때 돌아가셔서 나랑 우리 형님을 어머님이
고생고생해가면서 키우셨거든.
우리 어머니도 나 직장에서 일하고 있으면
막 핸드폰으로 전화 엄청 자주 하시고
그러는거 옆에서 보면 알지? 아직 부모님
입장에서 볼때는 자식이 한없이 아기같아서...
챙겨줘야 할 거 같은 그런 마음 때문에
그러는 거 아닐까?"

"제가 부모님이랑 연락을 안하려고 하니까

저번 1월 1일에는 제 자취방에 갑자기 찾아오셔서 문 열라고 고래고래 소리지르시고... 방문도 발로 차는 행동을 반복하셔서 제가 정말 곤욕스러운 적이 있었어요. 경찰관분이 오신 후에야 자제를 하시더라고요."

"아 그런 일이 있었어? 어구야 말랑씨 많이 놀랐겠다"

"그 이후에도 연락도 없이 제 집에 오시는 경우도 있었어요. 과장님 제가 이 일이 있고나서 전셋집에서도 마음 놓고 쉬지를 못하고 부모님이 직장에 또 전화하실까봐 업무책상에 앉아있는 것도 많이 힘든 상황이에요."

"아 그렇구나.. 난 그런 일이 있었는 줄 몰랐네... 근데 말랑씨.. 계속 부모님의 연락을 피하는 게 능사는 아닐 거 같아. 말랑씨가 하도 부모님 연락을 안받으니까 걱정이 돼서 회사에도 전화하고 그러신거 아니야?"

"........"

"혹시 부모님이랑 관계가 안좋은게 남자친구 때문이야? 남자친구 만나는거 부모님은 알고 계셔?"

"네 알고 있으세요. 그런데 과장님 사실 사회생활을 하기 전부터 부모님과의 관계가 원만한 편은 아니었는데.."

"언제부터 부모님이랑 관계가 더 악화되기 시작했는데?"

"작년 6월부터요."

“6월? 6월이면 말랑씨 남자친구랑 만나서
연애 시작했다는 그 즈음 아니야? 음...”

“과장님. 저는 지금 퇴근하고 전셋집에
들어가서도 부모님이 또 막무가내로
찾아오실까봐 제대로 쉬지도 못해요. 직장에
또 전화하실까봐 업무보는 책상에
앉아있는거조차도 힘이 들어요. 사실
저번에도 연락도 없이 직장에 한번 찾아오신
적이 있는데... 부모님이 저번처럼 또 직장에
찾아오실까봐 마음이 너무 불안해요....
집도... 직장도... 어느 곳 하나 제가 마음
놓고 다닐 수 있는 곳이 없어요. 지금
출퇴근길에 부모님이 모는 차와 같은 차종만
봐도 제가 심장이 쿵쾅거리면서 숨쉬기도
불편한데..... 제가 요새 그래서 질병휴직을
낼까 생각중이거든요....”

“아 질병휴직을? 혹시 힘들어서 병원같은 곳 가서 상담도 받고 그런거야?”

“조만간 병원다니면서 상담 받을거 같아요.”

“아이고.. 말랑씨가 마음 고생이 심했나보구나... 휴직 안하고 같이 계속 일하면 좋을텐데. 힘내 말랑씨.. 부모님이 그렇게 집착이 심하신지 나는 정말 몰랐네...

음 그런데 말랑씨 혹시 남자친구 종교같은거 있어? 아 없다고? 말랑씨는? 말랑씨도 종교 없어? 난 사실 그때 말랑씨가 ‘제가 선생님 전화만 계속 받고 있을 수는 없어서요 죄송합니다’ 이렇게 전화할 때 혹시 종교단체 같은 곳에서 협박같은거 당하고 있나? 하는 생각도 했거든. 종교단체가 무서운게 신도들을 세뇌시켜서 부모랑 자식 사이의 관계를 단절시키는 행동을 하더라”

“.......”

“여튼 말랑씨 힘내. 마음이 힘들면 주저하지 말고 아까 말한 것처럼 꼭 병원에 가서 상담받고 그래. 요새 병원가서 상담받는거 숨길 일도 아니야... 휴직 안하고 같이 계속 일하면 좋을텐데.. 꼭 해야 겠다고 생각한다면 정기인사시즌 맞춰서 휴직하면 좋겠어. 휴직 안하는게 제일 좋고..”

“네 과장님”

“힘내고... 그런데 말랑씨 그래도 부모님이랑 연락은 해야하지 않을까? 부모님이랑 연락해서 한번 대화를 잘 해봐”

“........”

정기인사까지 남은 시간은 두달에서 두달 반 정도. 내가 회사 출근하면서 두달을 버틸 수 있을까?

자취방을 부동산에 내놓았다. 인사과에 사직서도 제출했다.

"말랑씨 이렇게 갑자기 사직서 내는 법이 어딨어? 그래도 나한테 상의는 하고 사직서 내야지!! 이렇게 갑자기 사직하면, 내가 무슨 낯짝으로 임원을 보냐?"

"과장님 사직하겠다는 말씀 못드려서 죄송해요. 그런데 과장님... 저 정기인사시즌까지 기다리는게 너무 힘들어요. 부모님이 또 행정전화로 전화하실거 같고... 또 직장으로 찾아오실거 같고... 사무실 책상에 앉아있을 수 없을 정도로 너무너무 불안해요"

“많이 힘든건 알겠어. 그래도 사직은 아니지 않아? 열심히 공부해서 회사 들어왔잖아. 이렇게 회사 생활 하다가 바깥 생활 한다는게 현실적으로 쉽지 않아 말랑씨. 사직하고 밖에서 뭐 하면서 먹고살건데?”

“과장님 저도 그거 아는데... 제가 사무실 책상에 더 이상 앉아있을 자신이 없어요...”

“아이고 이를 어쩐데?.... 그런데 이렇게 사직하면 일이 해결될거라고 생각해? 부모님이 계속 말랑씨한테 연락하려고 할거같은데... 어디로 이사하려고 그러는데? 부모님 보아하니 이사한다고 해도 계속 말랑씨한테 연락하려고 하실거 같은데”

“........?”

'나는 과장님한테 이사하려고 한다라는 말을 한적이 없는데?'

"말랑씨도 성인이고... 고민해서 결정내린거니 나도 더 이상은 못잡겠는데... 그래도 사직은 다시 한번 생각해봐. 사직서 낸다고 해도 서류처리절차가 진행되는 동안에는 사직서 취소도 가능하거든?
그리고 나도 자식키우는 입장에서 말랑씨한테 이야기하는 건데... 반찬이나 옷 챙겨주는거 그거 부모님이 딸을 사랑해서 그러는 거야. 앞으로 남은 인생 길다 말랑씨... 긴 인생동안 부모랑 자식이 서로 의절하고 사는거 그거 얼마나 가슴아픈 일인데? 그래도 부모님이랑 연락은 하면서 지내야지"

나는 이제 대답할 여력도 없다. 조용히 짐을 정리해서 회사밖을 나선다.

사직서를 제출하면서 남자친구는 나의 결정을 유일하게 반대하지 않은 사람이었다. 다만, 그동안의 결정이 가지는 의미에 대해서는 구체적으로 반복해서 나에게 되물어보는 것 같았다.

"말랑씨. 후회하지 않겠어요? 공부 열심히 해서 들어간 회사고.. 회사 다니는거 그래도 자부심 가지고 있었잖아요. 사직이 아니라 원래 생각대로 휴직해서 다른 곳으로 이사가는 건 어때요? 어쨌든 휴직을 하면 다른 지역으로의 이동에 대한 큰 제약은 없어지는 거잖아요"

"제가 회사생활하는거 많이 좋아했죠.
그런데 이렇게 노심초사하고 불안한 상태에서 출근하면서 더 이상 버티고 싶지는 않아요.
제가 사직의사를 휴직의사로 바꾼다면

엄마아빠 그리고 과장님 등 주변사람들은 '말랑이 너가 아무런 대책도 없이 사직하려고 하는거 우리들이 말려서 휴직한거잖아. 너 우리한테 고마운 줄 알아야 해'라는 말을 할 거 같아요. 저는 그런 상황이 싫어요.

나 남은 인생 그렇게 살고 싶지 않아요. 회사를 사직한 말랑은 인생의 패배자가 아니라고.. 여전히 의미있는 사람이라는 것을 보여주고 싶어요."

남자친구는 나의 말을 듣더니 고개를 끄덕거리며 말한다.

"알겠어요. 그때 카페에서 제 명함드렸더니 말랑씨 부모님이 저에게 계속 연락하시네요. 그 날 이후로도 여전히 폭언과 욕설을 반복하십니다. 제가 말랑씨와 만나는걸 절대 허용하지 않겠다고 합니다.

말랑씨 부모님은 말랑씨와 연애를 하고 있다는 이유만으로 저라는 사람의 인생에 대해 모든 것을 결정할 수 있는 사람처럼 행동하고 있어요. 저는 앞으로 그분들과 연을 맺고 살아가는 건 기대하지 않습니다."

제6화 밝혀지지 않은 사실

1. 말랑은 카페에서의 사건에 대해서는 주변에 알리지 않음으로써 가족의 치부를 드러내지 않는 행동을 했다.

2. 사직서를 제출하고 타 지역으로 이동한 이후 2~3일 동안 말랑과 연락이 뜸했던 모든 지인들이 동시에 연락이 오기 시작했다.

3. 말랑과 말랑 남자친구에게 가해진 폭언, 욕설, 협박, 폭행의 사실이 말랑 주변인물에게 어느정도까지 알려졌는지 말랑은 확인할 수 없었다.

사직서 제출 후 다음날, 과장님에게 카톡이 왔다.

"말랑씨. 남자친구와의 사랑도 중요하겠지만... 부모님이 연락 안된다고 걱정 많이 하더라. 빨리 부모님한테 연락드리고, 사직의사도 철회하고 휴직의사로 바꿔."

망치로 머리를 얻어 맞은 듯한 느낌이다.
과장님이 부모님에게 연락을 한건가?
아니면 부모님이 회사에 찾아온 것일까?

순간 멍해졌지만, 그 순간의 나는 더이상 주변상황에 신경쓸 여를이 없었던 것 같다.
타 지역으로 이동하기 위한 발걸음을 서두른다.

다른 지역, 낯선 방에 도착해서 지친 몸과 마음을 녹이고 있는 찰나. 친하게 지냈던 회사 동료에게 카톡이 왔다.

"오늘 말랑씨 부모님이 사무실에 찾아오셔서 과장님, 그리고 저랑 대화하고 가셨어요. 부모님이 말랑씨 많이 걱정하던데.. 부모님에게 연락은 드려야 하지 않을까 싶어요. 말랑씨 사직서 낸거 다시 한번 생각해보라고 말하는게 맞겠다 싶어서 연락해요."

제7화 오해와 억측

낯선방에 도착한 다음날, 작은아빠에게
전화가 왔다.

"말랑아. 작은아빠야. 너 회사도 그만두고
어떻게 살려고 그래? 너 '앞으로 어떻게
살겠다'라는 비전같은거 세워두고
사직서낸거니? 뭐 하면서 먹고살건데?"

실소가 터져나온다. 회사를 그만둬버린 나를
그저 인생의 실패자로 규정하고 있다.

"회사 그만두고 뭐할지 왜 제가 일일히
말해야 해요? 전 지금 숙부한테 사업자금
빌리고 싶어서 브리핑하는 사람도 아니고요.
저도 성인이에요. 왜 회사 그만두고 뭐
하면서 살건지 그렇게 물어보는거에요?"

"너 성인인거 나도 알지. 그런데 회사
그만두고 밖에서 다른거 하면서 사는게
녹록치가 않아요. 너 명확한 비전도 없이
무턱대고 사직서 쓰고 퇴사해버린거같은데
앞으로 너 어쩌려고?"

당시 작은아빠의 대화에서 나는 진심으로
나를 걱정해주는 작은아빠의 마음을 느끼지
못했다. 이 느낌의 진실은 아직도 난 모른다.

"나도 회사 그만두고 뭐 하고 싶은지 생각할 충분한 시간을 갖고 퇴사하고 싶었어요! 그런데요. 회사에 계속 전화하고, 전셋집에 계속 찾아오고... 집이고 회사고 어느 곳도 제가 마음 놓고 쉴 곳이 없는데 제가 어떻게 그런걸 생각할 시간을 갖습니까? 네?

출퇴근길에 엄마아빠가 모는 차와 같은 차종만 봐도 마음이 벌렁벌렁 한데... 제가 그런걸 생각할 시간적 여유가 있었겠어요?

저도 더이상 버티기 힘들어서 사직서 낸거에요. 함부로 그렇게 말하지 마세요."

"너가 부모님때문에 정신적으로 큰 스트레스 받았던거 알겠어. 그러면 휴직을 하면서 그 트라우마를 극복하면 되지 않을까? 꼭 굳이 사직까지 해야할까?

너 고생고생해서 공부했고 그래서 회사입사했는데 나는 그게 아까워서 그래"

"아뇨. 전 사직 번복 안할거에요. 다니던 회사 휴직처리해서 애매하게 걸쳐있는거 싫어요. 회사를 휴직처리 하면 다른 일 하는 것도 이래저래 제한되는게 많단 말이에요."

"연락은 그래도 하고 지내야하지 않을까? 부모님 연락이 그렇게 스트레스 받는거라면... 작은아빠가 말랑이한테 연락하지 말라고 엄마아빠 잘 설득해볼게... 부모님이랑 연락하는게 싫다면 작은아빠랑 연락하는건 어때? 작은아빠가 너한테 연락하면 잘 지낸다고 답장정도는 해줄 수 있지 않아?"

"숙부가 어떻게 엄마아빠가 저한테 연락하는 것을 막아주겠다는 거에요? 어떻게 그런 무책임한 말을 하는건데요? 저 숙부랑 연락하는 것도 싫어요. 제가 먼저 연락하기 전까지는 저에게 연락하지 말아주세요.

그리고 엄마아빠에게도 제 의사 확실히 전해주세요"

이후에도 수많은 전화와 독촉, 내가 원래 있던 곳으로 되돌리기 위한 연락은 무수히 많이 쏟아졌다.

무언가를 지키기 위한 일들이었음은 분명했다.

그들이 지키고자 했던 것은 정말 내가 맞았을까?

제8화 나는 무엇을 하고 싶은걸까

"말랑씨. 뭐 하면서 지내고 싶어요?"

"잘 모르겠어요. 이전의 저와는 다른 삶의 형태를 살아보고싶긴 한데... 솔직히 무엇을 하고 싶은지 모르겠어요. 이제까지 제가 뭘 하고 싶은지, 어떤 삶을 살고 싶은지 많이 외면하고 살아와서 그런가봐요."

"저는 말랑씨랑 따뜻하게 지낼 수 있도록 여건을 조성하는데 최선을 다 할게요. 시간은 많으니까 너무 조급해하지 말고 스스로의 목소리에 귀를 귀울여봐요"

남자친구의 응원덕분에 힘이 난다.
조급해하지 말라고 했지만 그래도 어떤 삶을
어떤 식으로 살고 싶은지 빨리 찾고 싶어
마음이 스스로 답답해졌다. 회사를 사직한
말랑은 여전히 쓸모가 있는 사람임을 스스로
증명하고 싶었기에....

일단 알바자리를 계속 검색해보다가
학원에서 파트타임으로 영어강사를
구인한다는 글이 눈에 띄었다.

대학교 재학중 많이 해봤던 일이라
나에게 가장 익숙한 일이다. 내가 강사로서의
역량이 스스로 괜찮은 편이라는 생각에 바로
지원서를 넣어본다.

영어강사로 사는 말랑은 이전의 말랑에서
크게 달라질 일이 없는 선택지라는 점에서

찜찜한 마음이 있다. 그래도 하루빨리 경제적 토대를 완성하고 싶은 마음에 지원서를 넣은 내 행동을 스스로 격려하며 하루를 마무리한다.

원서를 넣은 후 다음날, 학원에서 바로 연락이 왔다. 학원에 와서 면접 겸 수업시연을 보여달라고 하셔서 간단한 이력서를 가지고 학원으로 출발한다.

"말랑씨 안녕하세요. 여기는 초중학생들한테 영어수학 교습하는 곳이에요. 영어수학 교습을 모두 지도하셨던 남자선생님이 있으셨는데, 이분이 다른 곳에 취직이 확정되어서 급하게 제가 새로운 선생님을 구하려는 차에 말랑씨가 지원해주셨네요.

원래 근무하시던 선생님이 말랑씨가 일하셨던 직장이랑 같은 업종의 회사에 입사하셨는데...

이것도 참 인연이네요."

하늘하늘한 목소리의 원장님은 연신 웃으면서 말씀하신다. 취미는 뭔지, 앞으로의 꿈이 뭔지 소소한 것들을 물어보시고 마지막으로 수업 실연을 해보라고 하셨다.

간단하게 수업 실연을 하고 집에 들어가는데... 바로 3일 후부터 출근해서 일해줄 수 있겠냐고 원장님이 문자가 오셨다.

알겠다고 감사하다고 말씀드리고 핸드폰을 내려놓는데...

'영어강사로 사는 말랑은 이전의 말랑에서 크게 달라질 일이 없는 선택지'라는 것이 자꾸 나를 찜찜하게 만든다.

이곳에서의 생활은 이미 한번 살아본

인생이었고 누군가가 살아보기 위한 견고한 무대로서 굳이 내가 머무를 이유가 없어보였다.

영어강사로서의 삶이 진실로 나의 내면에서 우러나온 내가 진정으로 하고 싶은 일이 맞는가? 스스로 생각을 거듭하다가 문득 어떤 생각이 들었고 그걸 남자친구에게 이야기하기 시작한다.

"이런 생각을 해봤어요. 뭐냐면요.. 나는 공간과 분위기를 꾸며놓아요. 그리고 이걸 시간대별로 대여해주는 거에요. 요샌 이걸 공간대여사업, 파티룸사업 그런 식으로 말하는 거 같더라고요."

"오 좋은데요? 그걸 하고 싶다는 생각이 들었다는 거에요?"

"솔직히 이걸 진짜 하고 싶은건지는 확실하지는 않은데 한번 해보고 싶다는 생각이 들어요"

"말랑씨 이거 한번 봐볼래요?
펜션에서 일하는 사람 구한다는 공고에요.
펜션도 이미 만들어진 공간을 다른사람들에게
빌려준다는 점에서 말랑씨가 말한
공간임대업이랑 비슷한거 같은데"

"오 진짜 그러네요. 여기서 일하면서
사장님이 어떤 식으로 사업을 꾸려가고
계시는지 어깨너머로 배워볼 수 있어서
좋을거 같아요. 한번 제가 연락 드려볼게요"

연락이 닿은 사장님은 반가운 목소리로
맞이해주신다. 이전에 비슷한 일을 해본적도
없는지라 잘 할 수 있을지 걱정도 된다.
그러나 이전의 말랑과는 다른 말랑이 되고
싶다는 마음에 마음을 다잡아본다.

"그런데 말랑씨. 우리 펜션에서 일 하려면 여기 동네로 이사오는게 좋을거 같은데... 지금 사는 곳이랑 우리 펜션이랑 거리가 꽤 있어서 매일 차타고 출퇴근하기도 버거울거 같고...."

이사를 한번 더 해야하는 상황이 생겼다. 펜션에서 일하는게 확정된 후, 펜션 주변에 거주할만한 방을 알아보기 위해 여기저기 부동산을 수소문해 본다.

"여기는 펜션이 몰려있는 곳이라 원룸 투룸 그런거는 거의 없어... 달세? 그것도 매물 몇개 없는거 지금은 다 나갔지..."

직장은 확정됐지만, 직장 주변에 살만한 곳이 마땅치 않다. 펜션 일을 끝마치고 퇴근 후 남자친구와 펜션 주변에 살만한 곳을 수소문하며 알아보는데 생각보다 구하는게 시간이 걸린다...

하루, 이틀, 삼일.... 주변 모텔에서 하루씩 숙박하며 펜션으로 출퇴근하는 일상이 반복된다.

익숙하지 않은 펜션청소일, 익숙하지 않은 지역, 익숙하지 않은 잠자리....

과연 이게 내가 원했던 삶인가? 익숙하지 않은 공간에서 잠을 자려고 누웠는데 눈물이 핑돈다.

공간임대업을 하고 싶다는 게... 과연 나의 마음에서 올라온 진실한 내면의 소리가 맞을까? 아닌 것 같다는 생각이 점점 더 강해진다.

살아본 적이 없는 일상에 대한 막연한 환상이 걷히고 다가온 현실은 또 다시 견고하게 작동하는 잘 짜여진 무대에 불과한 것 같은 느낌이었다.

공간임대업을 하고 싶었던 것은 적은 투자로 생업을 유지할만한 가능성이 높아보여서였다.

공간임대업을 오래 하고 싶다는 생각도 없었다. 남자친구에게도 공간임대업을 한다면, 인테리어 트렌드의 변동 때문에 3~5년정도에서 투자한 비용을 회수하고 이윤을 남긴 상태에서 정리하는게 맞을 것 같다는 의견도 말했었으니까...

공간임대업을 통해 구성하게 될 공간이 나의 자아를 표현하는 또 다른 방법이 될 것이라는 차원의 생각도 없었다.

공간임대업을 하고 싶었던 것은
남자친구와 행복한 삶을 살기 위한 옵션 중
하나였을 뿐이라는 생각이 강해졌다.

그렇다면 내가 원하는 것은 공간임대업이
아니라 남자친구와 행복한 공동체를 만들고
그것을 잘 키워나가는 건데....

공간임대업은 쓸모있는 인간임을 남들에게
보여주기 위해 내가 선택한 허세는
아니었을까?

말랑은 어렸을때부터 성인이 될때까지 가지고 있었던 고정관념이 있었다. 언제 들어온건지 알 수 없던 그 생각은 내 인생 전체를 지배하는 감정의 발원지 같았다.

그건 사회생활을 하지 않고 집에서 집안일을 하는 주부에 대한 틀에박힌 생각이다.

말랑은 '이 세상에 얼마나 재미있는 것들이 많은데 그런 것들을 포기하고 집에서 집안일을 하는 것으로 스스로를 규정한다는 말인가... 그런 삶은 참 무의미하다'라고 생각해왔다. 이러한 주부들에 대해 좋지 않은 시선을 보내왔다. 부끄러운 고백이다.

그런데 이제 말랑은 주부들을 또다른 시선에서 바라볼 수 있게 되었다.

'자신의 행복을 위해 집에 머물며 가정을 가꾸는 선택을 한 사람 또한 이 세상에 존재한다는 것'

그동안의 나는 가정을 꾸리고 살아가는 삶을 스스로의 존엄을 희생하고 헌신해야만 하는 무언가로 상정하고 있었다. 다만 이러한 생각이 언제부터 시작되었는지 알지 못할 뿐이다.

때문에 오랫동안 내가 누군가에게 무의식적으로 보내왔던 시선은 그런 사람들의 존엄을 갉아먹는 독을 뿌리는 행위와 다르지 않았다는 사실을 알게 되었다.

그 사실을 깨닫는 시점부터 '가정을 일구고 가꾸어나가는 삶'은 과거의 말랑이 무언가를 극복하지 않으면 성취할 수 없는 어떤 것이었음을 인정해야 했다.

말랑은 자신이 예전부터 가진 고정관념이 있었다며, 남자친구에게 운을 띄웠다. 그리고 그 고정관념이 과연 공간임대업이 내가 진심으로 하고 싶었던 일이 맞는가?를 생각하는 과정에서 바뀌게 되었음을 남자친구에게 고백했다.

남자친구는 말랑의 말을 듣고 조용히 말랑을 안아주었다. 말랑은 그날 밤 남자친구의 품에서 한없이 눈물을 흘렸다.

제9화 인연과 체험

펜션에서의 일에 차차 적응해나가기 시작한다.

"말랑! 넌 여기 오기전에 무슨 일 했어?"

"그냥 조그만 회사에서 사무직 했어요."

"왜 사무직하다가 이런 몸쓰는 일 하는데? 청소하는 일 하는거 안힘드나?"

왜 다니던 회사에 사직서를 냈는지, 그리고 왜 연고도 없는 이 지역으로 이사오게 되었는지 툭 터놓고 이야기하는 것은 아직 내게 버거운 일이다. 대강 다음처럼 얼버무려버렸다.

"젊었을때 이것저것 해보고 싶어서 그만뒀어요. 힘들긴 한데 곧 적응되겠죠?"

"응 하다보면 요령 생겨서 적응된다. 여기가 원룸이 없어서 집 구하는데 애 좀 먹었지? 달세로 사는 그 모텔은 괜찮아?"

"네 살기 좋아요. 일하는 곳이랑 가까워서 편해요"

체력이 좋은 편이 아니라 몸이 무척 피곤하다. 그래도 퇴근후 집에 들어가니 잠이 잘 와서 좋다.

"말랑아. 이모랑 같이 오늘 저녁먹자"

"네 이모. 이따 남자친구랑 1층으로 같이 내려갈게요"

달세로 살고 있는 모텔은 바닷가에 있어서 전망이 좋은 곳이다. 모텔주인인 이모와도 친해져서 종종 저녁을 같이 먹곤 한다.

"말랑아. 우리모텔 경치 좋지? 너가 일하는 그 펜션이 신축건물이라 우리 모텔이 좀 많이 낡아보이기는 해도... 우리도 여기 예전에 건축대상 받을 정도로 괜찮은 모텔이었다."

"저 일하는 펜션이 신축이어서 깔끔한건 있지만, 그래도 바닷가 풍경은 여기 모텔에서 보는게 훨씬 나아요. 이모 혹시 여기 모텔은 sns나 블로그로 홍보 같은거 하세요?"

"예전에 외주업체 통해 몇번 해봤는데 영

시원치 않더라고... 좀 믿을만한 사람 통해서 다시 홍보해보면 우리도 손님들이 더 많이 오지 않을까 싶은데...
말랑아 너가 젊으니까 이모 대신해서 sns에 홍보하는 일좀 도와줄래?"

"아 제가 그런거 안해봐서 잘 하려나 모르겠네요..."

여러모로 챙겨주시는 이모에게 좋은 모습만 보여드리고 싶은데 괜히 해보겠다고 말했다가 실망을 드릴까봐 말랑은 걱정이 앞선다.

남자친구는 옆에서 "제가 사진동아리도 예전에 했었고, 사진 잘 찍어요. 말랑씨 한번 같이 해보게요."

남자친구의 은근한 추임새에 말랑도

마음이 동한다. "이모. 제가 한번 해볼게요."

인스타그램, 블로그 계정을 만들어서 2-3일에 한번씩 게시물을 업로드한다. 블로그의 홍보글을 작성하여 이모와 남자친구에게 보여준다.

"말랑씨 글 맛깔나게 잘 쓰네요."

"말랑아 사진 잘 찍었다. 글도 재미있게 잘 썼네. 고맙다."

이모와 남자친구의 격려덕분에 내가 이런 것도 할 수 있구나... 나의 새로운 모습을 알게되었다.

적어도 이 순간만큼은 살아본 적 없는 하루하루를 만끽하고 있었던 것 같다. 모든 것이 불안정했던 내가 예측할 수 없는 미래에 느꼈던 설렘은 아무것도 정해진 것이 없는 곳으로 나를 이끌려고 하는 것 같았다.

기분좋은 설렘으로 하루하루를 채워간다.

바닷가에서 살아본적이 없는 나는 퇴근 후 바닷풍경을 보고 바다소리를 들으며 운치를 즐긴다. 남자친구와 사소하지만 즐거운 일상이야기를 주고받으며 웃음이 점점 많아진다.

제10화 살인예고

열심히 일하며 하루하루를 보내고 있는 어느날. 모르는 핸드폰 번호로 한통의 문자가 왔다.

"말랑이 보아라. 아빠가 참을만큼 참고참고 또 기다렸다. 이제는 더이상 참을수가 없어 물리적으로 대응하려고 한다. 살고있는 전셋집은 비어놓고 없는 돈 가지고 관리비, 전세대출이자 물어내면서 객지에서 알바하면서 끼니도 건너 배달시켜 먹고 이 더운 날씨에 기거할 방도 없이 모텔 이리저리 전전하면서 뭐하는 행동인지 불쌍하다."

"이것이 니가 말한 독립생활이냐?
아니면 몇년전부터 XXX에게 가스라이팅 당해
판단능력이 떨어져 그러는 건지 도저히
이해할 수 없다.

소중한 인생 그렇게 비참하게 살고 싶은지
너 고생해가지고 얻은 직장 던져버리고
뭐하는 짓이냐? 한심하고 한심하다. 내딸인생
이렇게 만든 XXX이 죽여버리겠다. 모든
준비는 한 상태이다 돌아와라 빨리. 현명하게
판단하길 바란다."

머리가 멍해진다. 이곳으로 이사온 이후, 기존에 알고 지냈던 사람 어느 누구와도 연락을 하지 않고 지내고 있었는데... 마치 누군가를 통해 내가 어떻게 지내고 있는지 파악한 듯한 이 문자는 무엇일까?

아무것도 해결된 것이 없는데 왜 다시 돌아오라는 말을 하는 걸까?

도대체 왜 나에게 '죽여버리겠다'라는 식으로 울분을 쏟아내는 것일까? 이렇게까지 나를 극단으로 몰아부치는 이유는 무엇일까?

눈앞이 깜깜해진다. 기껏 만들어 놓은 일상은 다시 박살났다.

나를 태어나게 해준 부모는 나에게 죽음을 전해주고 있었다.

자신이 주었던 생명이니, 거두는 것도 자신이 할 수 있다는 건가?

문득, 이렇게 다가온 죽음의 공포가 나에겐 처음이 아닌 것 같다는 생각이 든다.

제11화 방문을 걸어 잠그다

"죄송합니다. 개인적인 일로 더 이상 일하지 못할거 같아서 연락드려요."

"말랑씨. 무슨일 있어? 갑자기?"

"상황이 그렇게 됐네요. 죄송합니다."

이곳에서 내가 무슨 일을 하며 어떻게 지내는지 알고 있는 듯한 협박문자는 나를 다시 소극적인 사람으로 만들었다.

이 곳에 나를 또 찾으러 올거 같은 불안함,
내가 다니는 직장에 또 찾아올거 같은
공포감에 서둘러 또다시 이사를 준비한다.

"이모. 모텔에서 잘 살다 가요. 나중에 한번
또 놀러올게요."

연고도 없는 또다른 낯선 지역으로 이사를
와서 텅빈 방에 들어와 몸을 뉘었다.
이사만 벌써 몇번째인지... 이곳에서는 오래
있을 수 있을까?

이곳에서의 삶도 언젠가 부서질 수 있다라는
불안감이 나를 잡아먹고 있다. 그 불안감에
집 밖으로 나가지 못하는 날이 계속
늘어난다.

줄어드는 통장잔고를 보며, 이래서는 안되지라며 스스로 마음을 다잡으려고 노력한다. 그렇지만 밖에 나가는게 쉽지 않다.

제12화 신원불명은 무서워

원하지 않는 알 수 없는 것으로부터 오는 이질감은
때로는 불안이 되기도 하고
어느순간 내 삶을 지배하는 공포가 된다.

다만 모르는 것을 알고자 하는 행동이,
나를 알수 없는 것으로부터의 공포에서 빠져나오게 할
방법인지에 대해서는 의문이다.

직장을 그만둔 이후부터 모르는 번호에서 꾸준히 전화가 온다.

내가 받지 않으면 연락이 안올까 싶었지만 꾸준히 같은 번호는 내 핸드폰에 부재중 전화 기록을 남긴다. 나는 전화벨소리가 울릴때마다 소스라치게 깜짝 놀란다.

"잘 살고있지? 나랑 이야기 좀 해"

"지연아 나 물어볼거 있는데 전화 돼?"

모르는 번호가 보낸 문자는 나를 소름끼치게 만든다. 그리고 난 지연이도 아닌데……

"어디 아픈데는 없어? 나랑 얘기 좀 해"

"요즘 뭐 먹고 싶은 것은 없어? 우리 저녁에 맛난거 먹으러 갈까? 연락 기다릴게 연락 줘"

모르는 번호에서 1-2주 간격으로 문자가 온다. 본인이 누구인지도 밝히지 않고 대뜸

이야기하자, 저녁 먹자고 한다. 숨이 탁 막힌다.

대꾸하지 않으면 문자가 그만 올 줄 알았는데 계속 온다.

"도대체 누구시길래 저한테 이야기하자, 저녁먹자 하면서 문자보내는 거에요?"

"말랑아, 영애언니야. 이렇게라도 해야 너에게 답장이 올거 같아서 그랬어. 속여서 미안해. 엄마아빠가 너랑 연락이 안된다고 하도 걱정하길래 내가 연락했어. 이모랑 이모부가 너가 도담시에 있다고 하던데? 나도 지금 도담시에 살고 있거든. 그래서 너 건강하게 잘 지내는지 얼굴 한번 보고 싶어서..."

내가 도담시에 살고 있다는 건 또 어떻게 안거지? 평생 고향을 떠나 살아본적도,

일해본 적도 없는 엄마 아빠가 어떻게
도담시까지 연고가 있어서 내 소식을
알았다는 건지... 도무지 이해가 되지 않는다.

"나는 사직한 이후부터 내가 먼저 연락하기
전까지 연락하지 말아달라고 꾸준히 말하고
있어. 이렇게 내가 계속 말하는데도 나한테
연락하는건 내 말을 무시하겠다는 거야?"

"말랑아 뭔가 오해가 있는거 같아. 나는 너가
사직한 이후부터 니가 먼저 연락하기 전까지
연락하지 말아달라고 한 걸 몰랐고, 정확하게
너한테 무슨일이 왜 일어났는지도 몰라.
다만 너가 일도 그만두고 연락 두절에
숨어버렸다고만 들었을 뿐이야. 나는 그저
너가 어떻게 지내는지만 확인하고 싶었던
것일 뿐인데..."

"어떻게 지내는지 확인하고 싶어하는게
지금의 나에겐 상처가 될거란 생각은
안해본거야?"

"근데... 덮어놓고 계속 피하는게 과연
답일까? 지금은 잠잠할지라도 언제 어떻게
일이 터질지 모르는거구... 상황이 더
악화되면 그때는 돌이킬 수 없는 지경까지
갈 수도 있잖아."

"무슨 소리를 하는거야?"

"돌이킬 수 없는 일이 생기는 걸 막으려면
너도 어느정도 협조는 해야 한다는 걸
말하고 싶었어."

"연락하지 않으면 죽여버리겠다는 사람과
연락을 주고받기를 원한다는거야?"

"무슨 소리 하는거야 말랑아. 너희 부모님이 그렇게까지 행동할 사람이 아니란건 너도 알잖아?"

"......?"

"너도 네 남자친구랑 계속 함께 지내고 싶은 거 아니야? 그럼 남자친구도 이제 곧 우리 가족이 되는건데 마냥 이렇게 사이가 틀어지게 놔두는 게 너랑 너의 부모님을 위한 것도 아니지 않을까?"

"엄마 아빠가 회사에 전화하고, 회사에 찾아오기까지 했는데 언니같으면 회사에 제대로 출근해서 일할 수 있었겠어? 전화를 처음부터 안받았던 것도 아니야. 근데 전화받을 때마다 말도 안되는 요구를 하고 폭언과 욕설을 반복하는데... 다시 전화를 받으라고?"

"하... 그랬어...? 근데 그럴만한 이유가 있지 않았을까?"

"1월 1일에는 내가 살고 있는 전셋집에 무단으로 찾아오는 일도 있어서 경찰에 신고까지 했어. 가족끼리 일이라서 말하지 않고 있지만, 나와 남자친구에게 부모님이 한 행동은 언니가 말하는 가족끼리의 지킬 선을 넘었다고 생각해."

"말랑아 나는 너가 어떤 상황을 겪었는지 몰라. 나는 너한테 이래라 저래라 할 수 있는 입장도 아니고....

너네 부모님 마음도 이해하지만, 말랑이 너도 나름대로 계획과 생각이 있을 줄 알아. 단지 내가 바라는 건 더도 말고, 덜도 말고 잘 지내고 있는지만 알려줬으면 좋겠어.. 그래야 나도 너가 잘 살고 있구나... 하면서 마음이 편할 거 같아서..."

영애언니는 어떤 맥락에서 '너네 부모님 마음을 이해한다'라는 말을 하고 있는 걸까?

영애언니는 친척들 중 가장 왕래가 많았던 편이었다. 설날, 추석때와 같이 일가친척들이 모이는 자리에서 말랑과 말랑의 부모는 서로 관계가 어긋나보이지 않았으므로.....
영애언니가 보았을때, 이들의 관계는 평화로웠을 것이다라고 어림짐작 했을 것이다.

영애언니는 말랑이 부모와의 관계가 괜찮은 것처럼 보이기 위해 마음을 숨기며 버티고 있었다는 사실은 고려하지 않는 듯 했다.

결혼은 했지만 자식을 양육해본 경험이 없는 영애언니는 '자식과 부모는 서로 이렇게 살아야지'라는 관념에 말랑과 말랑의 부모를 끼워맞춰 해석하는 것 같았다.

영애언니는 나를 다시 초대한 무대가 내가 살아내기를 원하는 무대가 아님은 알고 있었을까?

다만, 되돌리기를 원한 과거의 나조차도 처음부터 존재하지 않았던 사람이었다는 건 몰랐던 것 같다.

어쩌면, 영애언니가 찾고있던 것은 내가 아니라 아직 온 적이 없는 무언가가 아니었을까?

영애언니는 내 상황에 대해서는 잘 모른다고 했지만 내가 처한 위험에 대해서는 동일한 경고를 전해왔다.

영애언니는 내 상황에 대해서는 잘 모른다고 했지만 부모님의 심정에 대해서는 이해한다고 했다.

영애언니는 내 상황에 대해서는 잘 모른다고 했지만 가족끼리 지켜야 할 선이라는 건 안다고 했다.

영애언니는 내 상황에 대해서는 잘 모른다고 했고, 내가 겪은 고통에 대해서도 모른다고 했다. 그저 자신이 모르기 때문에 알고 싶어한다는 말을 반복하고 있었다.

제13화 고소절차를 밟다

더 이상 이렇게는 못살겠다. 줄어드는 통장 잔고를 볼때마다 스스로 자괴감에 빠지고 있다. 계속 이렇게 살다가는 인간적인 존엄을 유지하지 못하는 삶을 살 거 같다는 불안감이 증폭되어간다.

누군지 알 수 없는 사람으로부터 살인예고 문자가 또 다시 왔다.

"거기 있어 가만안둔다 호로새끼"
"기다려 금방간다 호로새끼"
"기대해" "보자"

나는 또 다시 밀려드는 이 폭풍을 잠재우기 위한 방법을 찾아야만 했다.

"고소절차를 밟으려고 민원실 방문했습니다."

"여기 서류 작성해주세요."

...... 협박을 받아 일상생활이 어려우니 경찰서에서 살펴봐주시기 바랍니다.

"접수 되었습니다. 옆건물 여성청소년과로 가보세요."

"말랑씨 안녕하세요. 담당 경찰관입니다. 제가 문자 보낸 사람에게 연락해보니까... 호로새끼라고 문자를 보낸 번호는 강원도에 사는 '마 아무개'씨라고 하고 아버님이랑 조금 아는 사이라고 말하더라고요."

(나는 강원도에 사는 '마 아무개'를 전혀 알지 못한다. 그리고 아빠는 고향을 벗어나 타지에서 일해본 적이 없는 분인데 어떻게 강원도 분이랑 연고가 있다는 걸까?)

"그리고 '내딸인생 이렇게 만든 XXX이 죽여버리겠다. 모든 준비는 한 상태이다'라는 문자는 말랑씨 아버님이네요. 아버님이 회사 동료 핸드폰을 빌려서 말랑씨에게 문자를 보내셨다고 말씀하십니다. 제가 강원도에 사는 '마 아무개'씨에 대해 물으니 아버님도 모르는 사람이라고 하네요."

(경찰관은 강원도 '마 아무개'씨에 대한
아버지의 발언에 의문을 제기하지 않는다.)

"아버님이 점잖은 분이신거 같던데.. 말랑씨가
잘 다니던 회사를 그만뒀던 거에 대해서
굉장히 마음 아파하시고... 남자친구분은
여자분이랑 계속 만나실거죠? 그러면
아버님이랑 친하게 지내셔야겠네"

"..........."

알수 없는 정적이 흐른다.

"여기 고소장에는 '살펴봐주시기
바랍니다'라고 적으셨는데 고소 의사가
확실하십니까?"

"네. 고소의사가 확실합니다."

제14화 연락을 받으세요

"안녕하세요, 말랑씨 맞으시죠? 아버님 주소지를 관할하고 있는 저희 00경찰서가 이번 협박죄 사건을 담당하게 되었습니다."

"네 안녕하세요"

"아버님께서 평소에도 간섭이 좀 심하신 편이었나요?"

“.........?”

살인예고 문자가 단순히 간섭이 좀 심한 사람이 보낸 문자인가?

"어렸을때부터 간섭이 심하신 편이긴 했습니다."

"아버님께서 홧김에 그러신거 같은데 고소를 진행하기보단 서로 좋게 대화로 풀어보는건 어떠세요?"

"그.... 경찰관님. 제가 아버지로부터 살인예고문자를 받기 전부터 아버지와의 관계가 좋지 않았습니다. 부모님의 연락을 제가 받지 않는다는 이유로 제 회사에 전화하고, 회사에 찾아오고... "

"제가 그런 부분에 대해서는 아버님께 따끔하게 질책해드릴테니 마음을 푸시는게 좋지 않을까요?"

"아니요. 이미 1월 1일에 제 전셋집에도 찾아오셔서 경찰에 신고까지 한 일이 있었습니다. 경찰관분들이 중재해주셔서 전셋집 근처 카페에서 대화로 이야기를 진행해보려고 했지만, 이것도 잘 되지 않았고 카페 안과 밖에서 저와 남자친구는 폭행을 당했고, 흉기로 위협도 받았습니다. 이 폭행과 위협건에 관해서도 당시 경찰에 추가로 신고했었고요."

"혹시 기록이 남아있나요?"

"네. 기록이 남아있을 거에요. 저는 살인예고문자가 단순히 위협으로 그치는 것이 아니라 실제로 일어날 수 있는 일이라고 느껴지기에 고소절차를 밟게 된 겁니다"

"현재 아버님 외에 다른 가족들 하고는 연락 하고 지내세요?"

"아니요. 연락 안해요. 카페에서 대화로 이야기를 해보려고 할때, 아버지 뿐만 아니라 엄마와 남동생까지 폭행에 가담했고 제가 큰 충격을 받았어요... 그 후 가족들과 연락하지 않고 지내고 있습니다.

그런데 제가 타지에서 어떤 식으로 살고 있는지를 누군가를 통해 전달받은듯한 뉘앙스를 문자에서 언급하셔서 굉장히 당황했고, 그래서 더욱 공포감을 느꼈습니다."

"현재 원래 살고 있던 지역을 벗어나 다른 지역에서 거주하고 계신것 같은데, 직장생활은 하고 있으신가요?"

"아니요. 무직입니다. 제가 살인예고 문자를 받고 큰 정신적 충격을 받았고요.. 문자 이후 이모의 딸인 영애언니가 저와 같은 지역에 살고 있다며 제게 연락을 해왔는데... 제가 명시적으로 연락하지 말아달라고 입장을 밝혔음에도 불구하고 저에게 계속 연락을 해오고 있습니다. 정상적으로 직장생활을 하기에는 제가 많이 힘든 상황입니다."

"혹시 남자친구분도 지금 같이 지내시는건가요?"

"네."

"남자친구분은 직장이 있으신가요?"

'.........?'(뭐지?)

"저 경찰관님 한가지 여쭤볼게 있는데요..
고소장을 접수할때 전기통신을 이용한 접근을
못하게 하는 접근금지신청을 했습니다.
신청결과가 나왔나요?"

"아 그건 기각판정이 나왔습니다. 아무래도
현재 말랑씨가 거주하고 계신 곳과
아버님께서 거주하고 계신 곳이 거리가
상당히 떨어져 있고, 아버님께서 협박성
문자를 반복적으로 보냈다고 판단하지는
않아서요."

"저기 경찰관님. 저와 남자친구한테 모르는
번호에서 계속 주기적으로 전화가 와요.
저희가 이런 전화때문에 전화 벨소리만
들려도 노이로제가 걸리는 상황인데... 참..."

"혹시 모르는 번호에서 오는 전화들
받아보신적 있어요? 아 받지는 않으셨어요?

이게 어쨌든 확인해보지는 않으셨기 때문에 그 번호가 아버님이라고 단정할 수는 없는 거잖아요. 앞으로 모르는 번호에서 전화오면 일단 연락은 받으시고 누구인지 확인해보세요, 그리고 연락을 하지 말아달라는 말을 확실하게 문자로 남기세요. 그리고 아버님 번호를 차단했지만 연락이 계속 온다고 말랑씨가 그러셨는데, 아버님에게도 연락하지 말아달라는 의사를 전화나 문자로 남기시고 녹취를 남겨두거나 증거화 해놓으세요."

'이미 연락하지 말아달라는 의사를 아빠에게 말한 상태인데도 자꾸 연락이 오는건데요...' 라고 말하고 싶었지만

..... 후.... 무슨 소용일까?

"네... 경찰관님 알겠습니다."

"아버님이 또 연락오시면 저희한테 연락 주시고, 경찰에서 오는 연락은 바로바로 받아주세요."

제15화 눈물로써 호소하다

경찰서에서 연락이 한번씩 올때면 그날 내 일상은 또 무너져내렸다.

"고소 진행하겠다는 의사는 확실하십니까?"

"왜 자꾸 고소의사가 확실한지 아닌지는 계속 물어보시는데요? 제가 죽을 때까지 물어보실 건가요? 지금도 일상생활을 못하고 이렇게 살아가는데...."

"제출하신 자료들은 다수 모르는 번호에서 말랑씨와 남자친구에게 연락이 왔다인데... 연락문제는 스토킹이기 때문에 협박이랑 크게 관련이 없어 보이는데요?"

"다수 모르는 번호로부터 연락이
반복적으로 온다는거... 제가 왜
제출했겠어요? 살인예고문자를 받기
전부터도 모르는 번호에서 온 연락때문에
제가 노이로제에 걸려 심각한 상태라는 것을
말씀드리기 위함이지 않습니까?"

"1월 1일 남자친구가 많이 다쳤다고
진단서를 제출해주는 건도 협박이 아니라
폭행죄로 다투는게 맞아 보이고요"

"제가 몇번이나 더 말씀드려야 합니까? 제
부모는 이미 1월에 남자친구와 저를 폭행한
사람입니다. 단순히 협박삼아 했던 모든
말들을 실제로 저를 괴롭히기 위해 실행으로
옮겨왔던 분들이라구요.

저에게는 문자가 단순히 말이 아니라
실제로 일어날 수도 있는 위협이란 말입니다.

안그래도 최근 묻지마 살인과 살인예고 때문에 사회가 뒤숭숭한데 제가 이 문자를 받고 얼마나 더 공포감에 괴로웠겠어요?"

"아.. 네 힘드셨겠네요..."

"제가 마음 같아서는 1월 1일에 있었던 폭행건, 그 이후부터 저에게 온 다수의 연락건 모두 다 고소해버리고 싶어요.

그런데 참고 참아서 이번에 받은 살인예고 문자가 협박죄인지 아닌지 판단해 달라는게 이렇게 시간이 오래걸릴 일인가요? 제가 고소 결과를 받기까지 얼마나 더 기다려야 하나요? 벌써 2달이 되어가는데..."

제16화 고소의 결과

사건이 일어나기 전까지 나는 심판을 기다리는 죄인이었다.

사건이 일어나고 나서는 피해자로 살고 싶지 않은 피해자였다.

고소를 통해 결국 나는 피해자가 되었다.

다만, 고통은 끝나지 않았다.

'...접수하신 고소건은 검찰청으로
송치(불구속) 결정됨을 알려드립니다.'

고소된 건에 대해 경찰서에서 알림문자가 왔다. 연달아 검찰청에서도 사건이 검찰로 넘어왔다고 알려왔다. 구약식절차를 밟게 된다고 하는데... 또 얼마를 기다려야 하는 걸까? 한 달?

예상보다 빨리 검찰의 결과를 받아볼 수 있었다. 일주일 후, 협박죄가 인정되었고, 200만원의 형이 결정되었다.

고소결과를 받은 후, 내 일상은 달라졌을까?

달라진 것은 없다. 여전히 아빠는 나에게 연락을 해오고, 아빠가 다니는 회사의 번호가 부재중 전화로 찍혀있다.

나는 아직도 전화소리, 문자소리가 들리면 깜짝 놀라는 습관이 있다. 조금씩 일은 하고 있지만 정식적인 직장을 갖는 것은 여전히 불안하다. 경제적으로 여유가 있는 삶은 당분간 기대하기 힘들 것이라고 생각한다.

여전히 먹고 싶은 과일 하나 사는 것도 나에게는 큰 사치로 여겨진다. 장바구니에 과일을 넣었다 뺐다를 반복한다.

나는 사람들과 되도록이면 관계를 맺지 않으려고 계속해서 노력한다. 누군지도

모르는 사람에게 받은 협박에 대해 경찰관은
애써 외면하려고 했고, 나는 아직도 그
수많은 메시지가 어디서 온 것인지 알
방법이 없다.

그들은 지금도 어딘가에서 내 일상을
관찰하며 기록하고 있을지도 모른다는 생각이
머릿속에서 떠나지 않는다.

또 언제 어디서 실제로 물리적 위협을
가해올지도 모른다는 불안감은 내 하루하루를
잠식해가고 있다.

살인예고문자가 협박죄로 인정받은 건
나의 안전을 위한 최소한의 장치가 생긴걸로
여기고 있다.

그러나 최소한의 안전장치일 뿐이지... 나의
일상을 복구하는 데는 여전히 부족하다.

계속해서 나는 어두운 터널 한 가운데에 있는 듯한 느낌이다. 삶이 더이상 개선될 여지가 보이지 않은 시기가 너무 오래되었다.

보는 것만으로도 아찔한 줄타기 상황을 본적이 있는가? 줄타기를 하는 사람은 발을 잘못 디디면 바로 목숨을 잃을 것 같은 일촉즉발의 상황을 연출하곤 한다.

나 또한 줄타기 상황에 있다고 생각한다. 보잘것 없는 환경이지만 이 환경을 지키기 위해 나와 남자친구는 위태로운 줄 위에서 아등바등 버티고 있다.

줄타기의 구경꾼들은 나와 남자친구가 합이 맞지 않아 아찔한 순간이 연출되는 것을 은근히 바라고 있는것 같다. 또 나와 남자친구의 줄타기에 이래저래 훈수를 두고 비웃고 있는 장면이 머리속에서 반복된다.

내 머릿속에서 떠나지 않는 구경꾼들은 우리의 약점을 들춰내려고 할 뿐.... 우리의 아슬아슬한 줄타기에 동참해줄 생각도, 줄타기에 도움을 줄 생각도 없다.

내 머리속에 보이는 구경꾼은 내 기억이 만들어낸 허상일까? 혹은 내가 살아가고 있는 현실의 반영일까? 혹은 앞으로 내가 살아가야 하는 미래의 반영일까?

확실한 건, 지금의 나는 내 머릿속을 떠나지 않는 구경꾼들이 더 이상 존재하지 않기를 강렬히 원하고 있다는 것이다.